PRIMERA
SUDAMERICANA

Dirigida por

Canela

(Gigliola Zecchin de Duhalde)

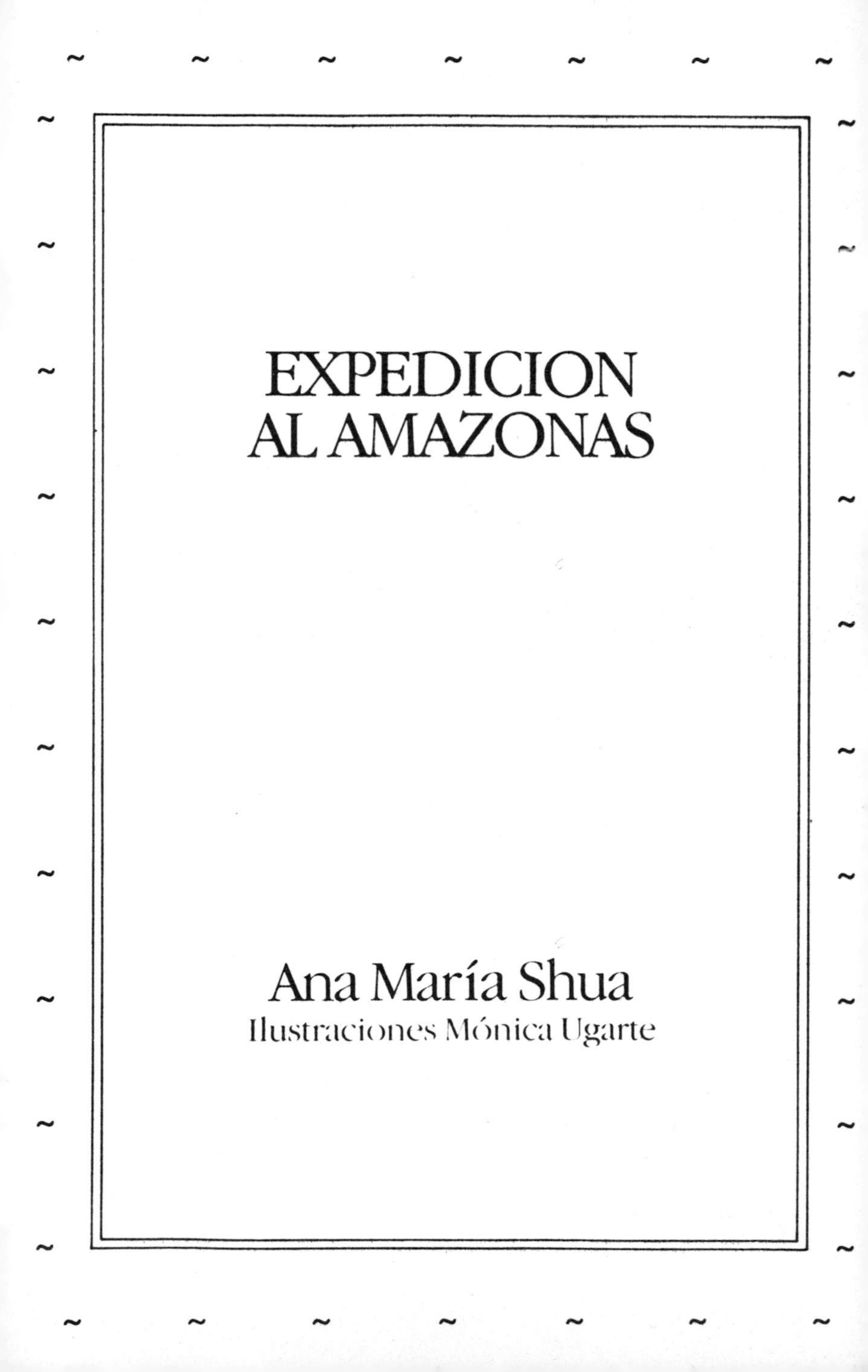

EXPEDICION AL AMAZONAS

Ana María Shua
Ilustraciones Mónica Ugarte

Diseño gráfico: Helena Homs

Primera edición: julio de 1988
Cuarta edición: noviembre de 1994

Impreso en la Argentina
Queda hecho el depósito
que previene la ley 11.723.

Humberto I 531, Buenos Aires
ISBN 950-07-0503-6

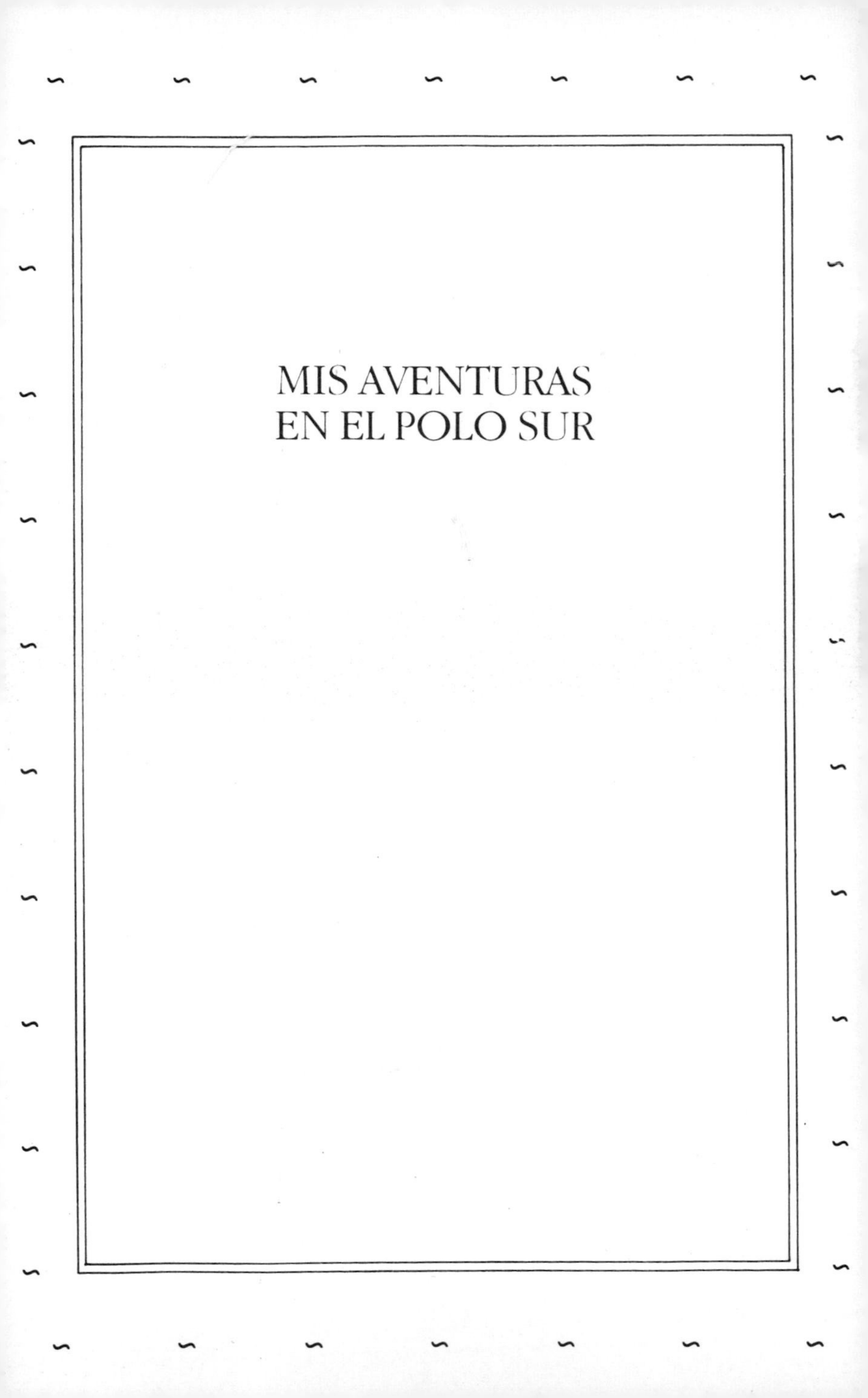

MIS AVENTURAS EN EL POLO SUR

Cuando yo era chica, en las casas no había heladeras que fabricaran hielo. Lo que había eran unas cajas que se cerraban herméticamente, donde se ponían las barras de hielo que uno le compraba al hielero. El camión llegaba hasta la puerta de la casa y un señor fuerte y musculoso sacaba una gran barra de hielo envuelta en un pedazo de arpillera. Se la ponía al hombro, la entraba en la casa y la gente la guardaba en esas "heladeras" que eran en realidad cajas para guardar hielo. Y si no me creés, preguntale a tu mamá.

Observando esa situación, se me ocurrió una gran idea para ganar plata. Yo necesitaba la plata para organizar una expedición al Amazonas, donde pensaba descubrir varios templos perdidos llenos de diamantes y de víboras.

Mi plan era perfecto: se trataba, simplemente, de llegar hasta el polo sur y traerme unos cuantos témpanos. Los hieleros vendrían a comprarme los pedazos de témpano a la costanera para cortarlos en barras y venderlos casa por casa. Pensaba reservarme un témpano entero para mi familia y los vecinos.

Decidí hacer el viaje nadando. Mi abuelito me había enseñado a nadar a los cinco años y yo siempre practicaba en el club. Sabía nadar muy bien y muy rápido y tenía bastante resistencia. Y si no me creés, preguntale a mi mamá.

Como preveía un viaje largo, preparé provisiones. Había leído que en la guerra, en los lugares fríos, los soldados se la pasaban comiendo chocolate. Aprovechando un descuido del almacenero de la esquina, me llevé unas cuantas tabletas de chocolate de taza.

Para que el chocolate no se me mojara por el camino (en esa época no existían las bolsas de plástico) lo corté en barritas y lo metí adentro de la bolsa de agua caliente de mi mamá.

Me puse la malla azul, la nueva, me até la bolsa de agua caliente llena de chocolate a la cintura y me enrollé también una buena cantidad de piolín, que siempre hace falta. Después me vestí para disimular y escribí una carta para que mis padres supieran dónde estaba y no se preocuparan. Era de tardecita y me tomé el colectivo que llevaba a la costanera.

En la costanera había pescadores y carritos que vendían chorizos y carne a la parrilla. (Eran verdaderos carritos de lata, pintados de blanco, y no restoranes como ahora.) Para tirarme al agua tuve que esperar que estuviera bien oscuro: no quería que ninguna persona grande me viera y se pusiera a gritar pensando que me estaba ahogando. Las personas grandes son buenas pero un poco tontas.

Empecé a nadar con mucho entusiasmo, cruzando el río en dirección al mar. Llevaba una brújula para no equivocarme el camino: tenía que ir siempre hacia el sur. Era verano, hacía calor y el agua estaba tibia.

Yo nadaba crawl, a veces pecho, y cuando tenía que descansar me tiraba a hacer la plancha. Cada vez que tenía hambre sacaba una barrita de chocolate y me la comía despacito, dejando disolver los pedazos de chocolate en la boca para que me duraran más. Todavía tengo en el freezer un pedacito de chocolate que me guardé de recuerdo.

En unas ocho horas de nado ya estaba en mar abierto y allí decidí dormir una siesta larga para recuperar fuerzas. Me quedé dormida haciendo la plancha y soñé con un gran témpano de helado de todos los gustos que existían entonces y que no eran muchos (había solamente crema, chocolate, frutilla y tutti frutti).

Me despertó un golpe de agua en la cara. Había tormenta, el mar estaba muy picado y caía la lluvia. Sin dejar de hacer la plancha, abrí la boca y aproveché para tomar agua dulce, que me hacía mucha falta.

Las olas me alzaban y me volvían a tirar. Tenía los dedos de las manos y los pies completamente arrugados y empecé a sentir mucho frío. Recién ahí me di cuenta de que no había considerado el problema de la temperatura. Todavía estaba muy lejos del polo y ya tenía frío, simplemente por el hecho de haber estado tantas horas en el agua.

En ese momento, a la luz de un relámpago, vi algo que me distrajo por un momento de mis preocupaciones. Un enorme tiburón blanco se dirigía hacia un ballenato que nadaba indefenso entre las olas. Era muy extraño que su madre no estuviera con él.

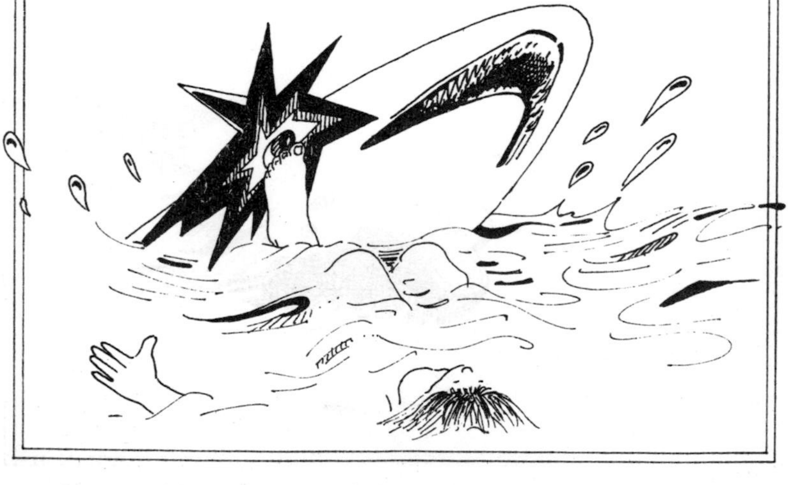

Sin dudar un segundo, nadé con todas mis fuerzas hacia allí, y colocándome delante del ballenato para protegerlo con mi cuerpo, le di al tiburón una fuerte patada en la cara, tratando de evitar las horribles mandíbulas con tres hileras de dientes.

¡Y pensar que mi mamá siempre me retaba porque yo me olvidaba de cortarme las uñas de los pies! En esas circunstancias esa mala costumbre fue mi salvación. Porque la uña larga y dura del dedo gordo de mi pie derecho se clavó justo en el ojo del tiburón, dañándolo de tal manera que el maldito escualo se alejó, furioso y asustado. Y si no me creés, en casa tengo para mostrarte un pedacito de ojo de tiburón que me quedó debajo de la uña, y que ahora parece una piedrita negra.

La madre del ballenato, una gigantesca ballena austral, había emergido justo a tiempo para ver mi valiente acción. Infinitamente agradecida, nadaba a mi alrededor como si buscara la forma de devolverme el favor. Entonces supe cuál sería la solución a mi problema.

Apartando como si fuera una cortina de flecos las barbas de la ballena, me metí en su bocaza. Las ballenas, como todos los mamíferos, tienen la sangre caliente y adentro de su boca no volvería a sentir frío, aunque naturalmente estaba muy húmedo. Me acosté en su blandísima lengua, donde me hundí como en un colchón de agua, y me tapé con un pliegue de la piel.

Yo no tenía ningún temor, porque las ballenas no tienen dientes, pero además tienen la garganta tan chica (apenas del tamaño de un puño) que no hubiera podido tragarme aunque quisiera. Y por supuesto, no quería.

Al día siguiente consulté mi brújula y descubrí, encantada, que la ballena se dirigía precisamente hacia el sur. Decidí llamarla Malena. De vez en cuando Malena abría la boca para tragar agua con plancton. En esos momentos me bastaba con contener la respira-

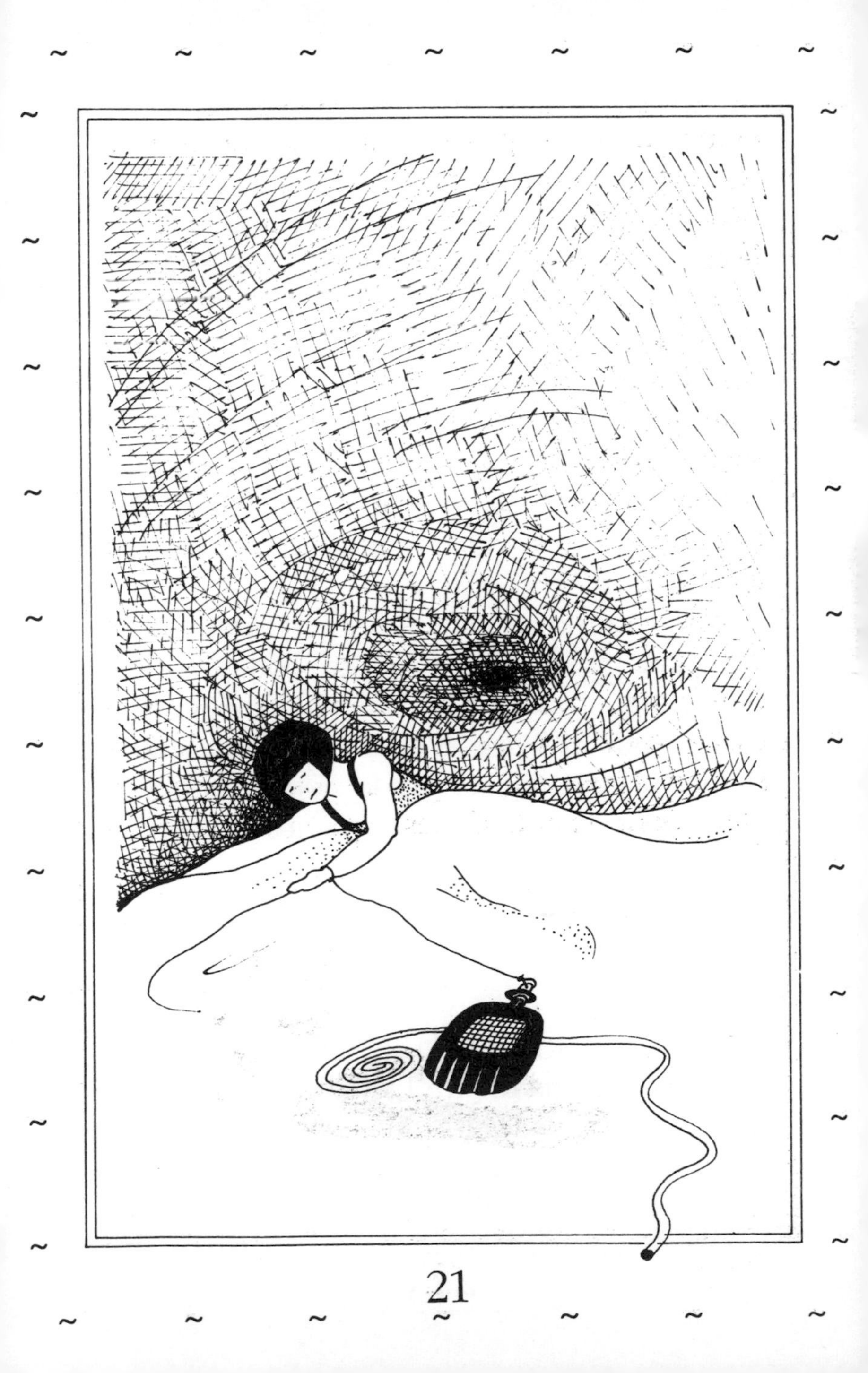

ción y dejar que pasara la inundación. Al rato ya estaba calentita otra vez. Y si no me creés, probá un día a meterte en la boca de una ballena viva y vas a ver qué cómodo que estás.

Mientras viajábamos hacia mi destino, me dediqué a escuchar atentamente los extraños sonidos que producía la ballena y que parecían una especie de lenguaje. Cada tanto me sacudían los cabezazos del ballenato, que golpeaba el cuerpo de su mamá para hacer salir la leche y después se la tomaba mezclada con agua de mar.

Justo cuando se me estaba por terminar el chocolate y ya estaba pensando cómo podría pescar algo comestible, Malena abrió su bocaza y pude ver dos espectáculos maravillosos. En primer lugar (y ya lo sospechaba por el tremendo ruido de las explosiones) habíamos llegado a la zona donde los témpanos se desprenden de la costa helada y empiezan a derivar por el océano. Y en segundo lugar, mi amiga Malena se había encontrado con sus amigos y familiares: una manada de cincuenta ballenas retozaba a nuestro alrededor.

Yo había salido de casa con la idea de atar los témpanos uno por uno con el piolín y nadar de vuelta arrastrándolos detrás mío. Ahora comprendía que eso era imposible: el peso de las gigantescas moles rompería el piolín casi en seguida. Pero en cambio tenía a las ballenas, que se habían reunido alrededor de mi amiga Malena como si fuera su jefa.

Por el camino, y gracias a mis cuidadosas observaciones, yo había llegado a entender el idioma de las ballenas, esos sonidos agudísimos que pueden emitir hasta debajo del agua y que se oyen a varios kilómetros de distancia. Ahora era capaz de comunicarme con las ballenas, aunque después de hablarle un rato a Malena, me quedaba un fuerte dolor de garganta.

Mi gran amistad con esta ballena que me abrigaba en su boca me permitió lograr que la manada entera colaborara con mi plan. Hay que decir que Malena me adoraba y todo le parecía poco cuando se trataba de agradecerme por haber salvado a su hijo.

Siguiendo las órdenes que les transmitía Malena (yo no podía ni asomarme a través de sus barbas porque el frío me hubiera congelado inmediatamente), cada una de las cincuenta ballenas se puso detrás de un témpano y empezó a empujarlo. Pronto conseguimos ponernos en marcha.

Malena, el ballenato y yo íbamos adelante, señalando el camino: siempre hacia el norte. Detrás nuestro, de dos en dos, como si fuera un ejército en marcha, venían las cincuenta ballenas con los cincuenta témpanos. Por suerte Malena se conformó con comer lo menos posible hasta que llegáramos a aguas más cálidas: yo no hubiera podido sobrevivir a las inundaciones de agua helada.

El gran problema del viaje de vuelta fue la comida para mí, porque ya no me quedaba ni media barrita de chocolate (excepto el pedacito que guardé para mostrarte). Por el agua para beber no tuve que preocuparme, porque la saliva de Malena era tan dulce como la mejor agua de pozo.

En cambio pasé bastante hambre, aunque al final me acostumbé a comer plancton. Filtraba entre mis dedos el agua que entraba en la boca de Malena y me quedaba en las manos una especie de ensaladita de algas y pequeñísimos crustáceos parecidos a los camarones. No era muy rica pero servía para alimentarme.

Por el camino nos cruzamos con algunos barcos balleneros, pero no se atrevieron a atacarnos, supongo, por lo extraño del espectá-

culo. El capitán de un ballenero ruso nos sacó una foto. Y si no me creés, no tenés más que ir a Odesa y preguntar por el ex capitán del Oigadóñayá: tiene la foto enmarcada en el living de su casa.

Lamentablemente, a medida que avanzábamos hacia el norte y el agua se iba calentando, los témpanos empezaron a derretirse. Cada vez se deshacían más rápido, se les desprendían grandes trozos y se achicaban delante de mi vista. Yo trataba de apurar a las ballenas, que nadaban ahora a toda velocidad.

Sin embargo, y a pesar de nuestros esfuerzos, cuando llegamos a la costanera, de los cincuenta témpanos no habían quedado más que cincuenta grandes barras de hielo, que las ballenas empujaban con gran facilidad.

Una gran multitud se había reunido para recibirnos. Yo me apuré a vender las barras de hielo antes de que se convirtieran en cubitos. Con la plata que gané me alcanzó justo para pagarle al almacenero los chocolates que le había sacado para el viaje.

La despedida que me hicieron las ballenas fue emocionante. Todas al mismo tiempo lanzaron sus chorros de vapor en el aire mientras yo agitaba mi pañuelo. Y si no me creés preguntale a mi hermana Alisú, que estaba parada en la baranda de la costanera y la salpicaron toda.

Después me fui a casa a tomar la leche mientras pensaba alguna otra manera de conseguir el dinero que necesitaba para organizar mi gran expedición a la selva del Amazonas.

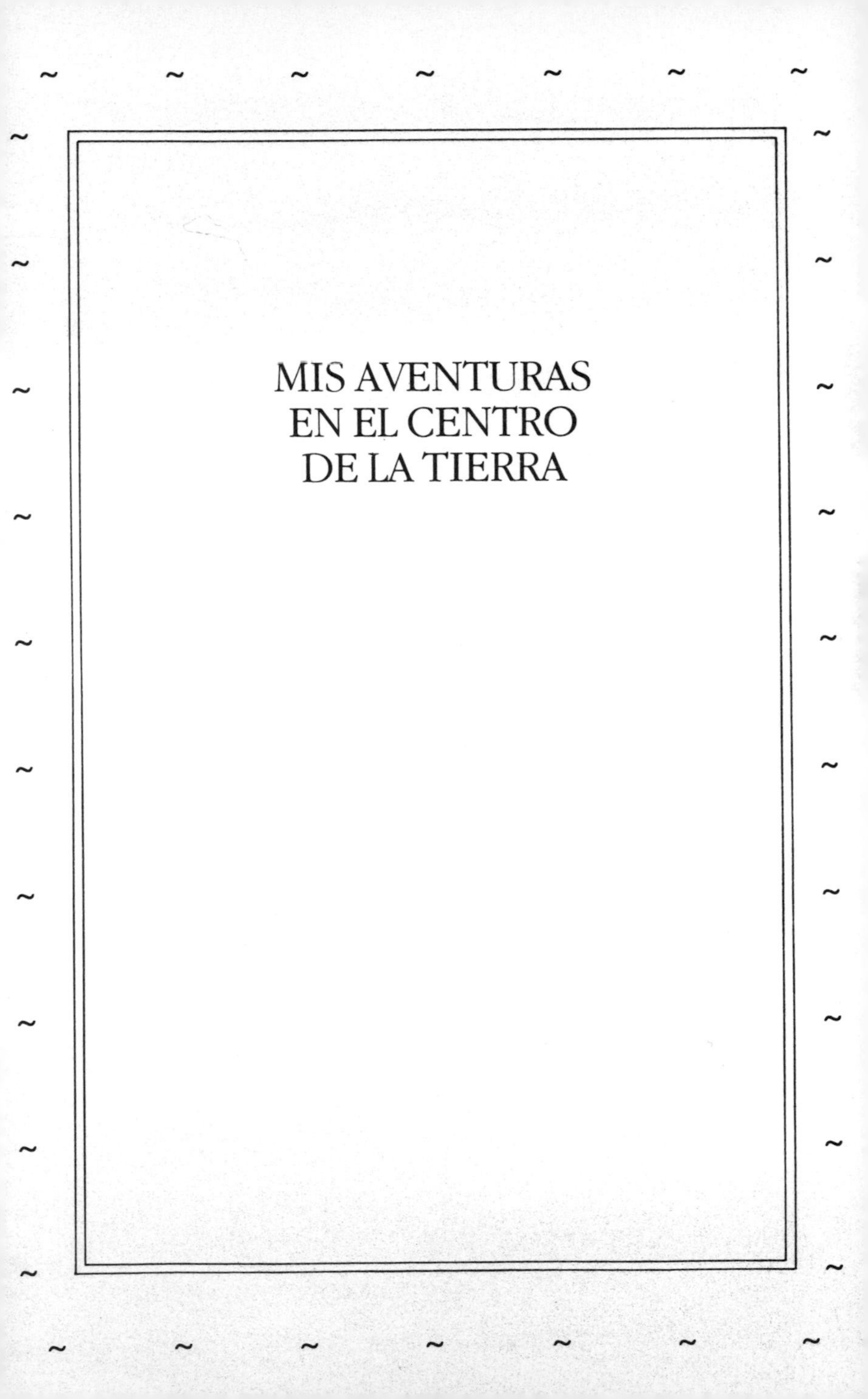

MIS AVENTURAS EN EL CENTRO DE LA TIERRA

Cuando yo era chica, no se viajaba tanto como ahora. La mayoría de los aviones tenían motores a hélice y recién estaban empezando a funcionar los primeros aviones supersónicos. Les decíamos "aviones a chorro" y eran algo bastante especial. Y si no me creés, preguntale a tu papá. Como tomar un avión era casi una aventura y viajar en barco se hacía muy largo, la gente se quedaba más en su casa.

Observando esa situación, se me ocurrió una vez una gran idea para ganar plata. Yo seguía necesitando el dinero para organizar mi expedición al Amazonas. Pensaba comprar carpas, bolsas de dormir, mosquiteros y canoas y tenía que pagarle al indio explorador que va adelante señalando el camino y a los indios que van atrás llevando los bultos sobre la cabeza.

Mi idea era muy simple: se trataba de cavar un pozo tan profundo que, cruzando por el centro de la tierra, me permitiera llegar hasta la China, que queda justo del otro lado. A través de mi pozo, sería posible viajar a China sin usar ningún medio de transporte. Pensaba cobrar entrada a todos los que quisieran hacer el viaje, menos a mi familia y a mi compañera de banco. En fin, un negocio redondo.

Yo vivía en un departamento. Si uno hace un pozo en un departamento, el primer lugar al que llega es al departamento de abajo. No sería fácil hacerles comprender a los vecinos la importancia de mi proyecto. Decidí, entonces, cavar en el fondo de la casa de mis abuelos, donde había una gran higuera, un jardín y una pequeña plantación de achicorias.

El sábado al mediodía fuimos a comer asado a casa de los abuelos. Pedí y obtuve permiso para quedarme a dormir allí. Después del asado mis padres se fueron y los abuelos se acostaron a dormir la siesta. Yo me quedé sola en el fondo, con mi balde y mi pala, lista para empezar el trabajo.

Como en esa época no había plástico, casi todos los juguetes eran de madera y los de playa eran de metal. Yo tenía una buena pala de fierro, grande y fuerte, que me había comprado con la plata que me dejaron los ratones por el primer colmillo que se me cayó. Y si no me creés, preguntale a mi mamá. Llevaba una buena cantidad de piolín enrollado en la cintura, debajo del pullover. El piolín siempre hace falta.

Empecé a cavar debajo de la higuera. Al principio la tierra era blanda y negra y no oponía resistencia a mi pala. Tuve cuidado de no dañar las raíces del árbol. Pronto dejé atrás la zona de las lombrices y la tierra se puso cada vez más seca y dura. Pero yo tenía mucha práctica en esto de cavar porque hacía poco había vuelto de las vacaciones en la playa. Fui escarbando escaloncitos en las paredes del pozo para poder salir cuando quisiera.

A cierta altura apareció la primera dificultad: la tierra se había terminado y ahora había que cavar directamente en la piedra. Mi pala de fierro no servía para eso. Recordé, entonces que hay una piedra más dura que ninguna otra, una piedra que se usa, hasta para cortar acero: es el diamante. Y mi abuela tenía un diamante en su anillo de bodas.

Cuando salí a buscar el anillo de la abuela, comprobé que la higuera había desaparecido momentáneamente, tapada por la montaña de tierra y escombros que yo había sacado del pozo.

En puntas de pie entré en el dormitorio de los abuelos y tomé prestado el anillo, que estaba en el cajón de la mesa de luz. De paso me llevé la linterna del abuelo porque el pozo se estaba poniendo oscuro. Al pasar por la cocina vi la bolsa de las compras con una docena de bananas y la llevé también, pensando que podía tener hambre. Por la sed no me preocupé, porque para eso contaba con la existencia de ríos o lagos subterráneos. Y si no me creés, fijate cómo se saca el agua en el campo, con bombas o con molinos de viento que la hacen subir desde abajo de la tierra.

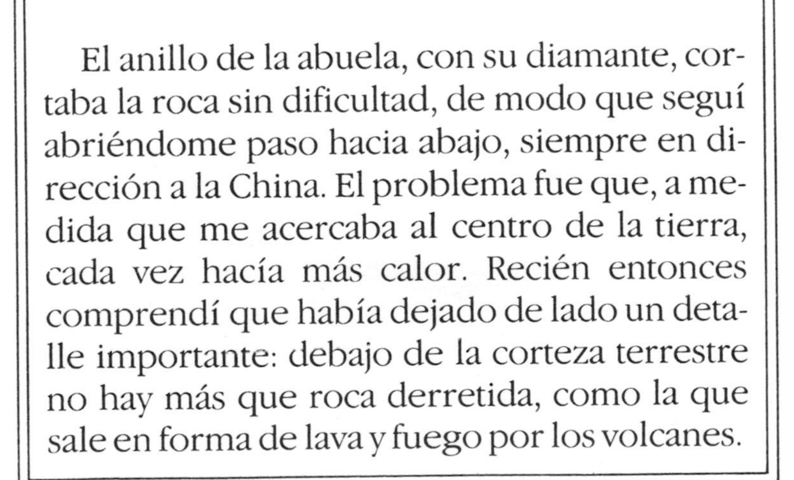

El anillo de la abuela, con su diamante, cortaba la roca sin dificultad, de modo que seguí abriéndome paso hacia abajo, siempre en dirección a la China. El problema fue que, a medida que me acercaba al centro de la tierra, cada vez hacía más calor. Recién entonces comprendí que había dejado de lado un detalle importante: debajo de la corteza terrestre no hay más que roca derretida, como la que sale en forma de lava y fuego por los volcanes.

Me sentí algo desanimada. Mi proyecto parecía a punto de fracasar. Por una parte, podía morir derretida mucho antes de llegar a la China. Por otra parte, nunca iba a poder cobrar entrada para pasar por un lugar tan peligroso. Y, finalmente, si llegaba a provocar la aparición de un volcán en el fondo de la casa de los abuelos, jamás volverían a invitarme a pasar con ellos el fin de semana.

Tenía mucha sed, la boca reseca y la lengua pegada al paladar. ¿Dónde estaban los esperados depósitos de agua subterránea? Casi no me quedaban fuerzas para seguir rompiendo la roca y no sabía si lograría salir del pozo. Precisamente cuando ya estaba desesperada, el golpe que di con el anillo sonó a hueco, un trozo de roca se desprendió y por el agujero pude ver una gigantesca caverna. Apagué mi linterna: el lugar estaba iluminado por el brillo de las extrañas piedras violáceas incrustadas en el piso y en las paredes. (Una de ellas adorna hoy el estante de mi biblioteca.)

Sentí un gran alivio al ver que una parte de la caverna (tan grande que no alcanzaba a ver dónde terminaba) estaba ocupada por un inmenso lago subterráneo. Até la punta de mi piolín a una saliente de roca y me descolgué

hasta el piso. Inmediatamente sentí que me hundía hasta la cintura en un musgo rosado, muy alto y espeso, que tapizaba las rocas. Si alguna vez venís a mi casa, te puedo mostrar un manojo de musgo seco que tengo guardado de recuerdo entre las páginas de un libro.

Había grupos de hongos gigantes, de unos cuantos metros de altura, formando bosquecillos. Corrí hacia el lago. El agua era dulce y fresca y calmó mi sed.

De pronto, desde un bosquecillo de hongos, vi asomar una cabeza de reptil sostenida por un cuello largo y delgado. El animal avanzó. Seguía al cuello un enorme corpachón con patas como columnas.

Yo sabía perfectamente que los dinosaurios son una especie que se extinguió en la prehistoria. Según algunos científicos, se murieron de frío cuando cambió la temperatura del planeta. Evidentemente este magnífico ejemplar había sobrevivido gracias al calor que hacía en la caverna y que provenía del centro de la tierra.

Afortunadamente no se trataba de un Tiranosaurio Rey, que es un dinosaurio carnívoro muy peligroso. Era, en cambio, un amable brontosaurio, de los que se conforman con alimentos vegetales. El bicho pastaba tranquilamente en el musgo rosado de las rocas.

Así, pude acercarme sin temor. El reptil tampoco se asustó con mi presencia, lo que no es de extrañar, considerando que yo tenía el tamaño de uno de los dedos de sus patas. Me observó con cierta curiosidad.

Parada en una roca alta, le ofrecí una banana. Inclinando su flexible cuello hacia mí, la tomó de mi mano con la lengua, como hace la jirafa del zoológico con las galletitas que le ofrecen los chicos. Se la tragó con cáscara y todo.

Me puse muy contenta. Aunque no lograra completar mi túnel hasta la China, se me presentaba ahora otro excelente negocio: podía cobrar boleto por llevar a los chicos del barrio a dar una vuelta manzana en brontosaurio. Para eso, naturalmente, debía encontrar la forma de izar al animal hasta el fondo de la casa de mi abuela, varios kilómetros más arriba.

Yo era muy fuerte. Tanto, que hasta podía ganarles pulseadas a los varones. Y sin embargo, comprendí que todo el poder de mis músculos no sería suficiente para levantar las tres mil toneladas que pesaba el animal. Por otra parte no podía esperar que un dinosaurio pasara a través del angosto pozo que me había llevado a mí hasta la caverna.

Para empezar de algún modo, decidí atar al dinosaurio con mi piolín. El animal enseguida me tomó confianza y me iba siguiendo para comerse las bananas que yo le dejaba en el camino. Así conseguí atraerlo hasta un grupo de rocas lo bastante altas como para permitirme trepar sobre su lomo. Bajando por el otro lado (me deslizaba por sus escamas como por un tobogán), pasando por debajo de su panza y volviendo a subir, conseguí darle unas cuantas vueltas de piolín a su gigantesco cuerpo. Aseguré el piolín con varios nudos.

Después trepé hasta el techo de la caverna y me dediqué a la fatigosa tarea de ensanchar el pozo, mientras subía, al mismo tiempo, hacia la salida. No intenté, por el momento, levantar al dinosaurio: otros eran mis planes. Fue una tarea tremenda, agotadora, que terminó por desgastar completamente el brillante del anillo. Y si no me creés, preguntale a mi abuelita, que nunca me perdonó del todo.

Cuando llegué por fin a la superficie, tuve que destrozar todas las baldosas del patio para hacerle lugar al brontosaurio. A todo esto Bronti seguía pastando tranquilamente en su caverna, porque yo había tenido cuidado de ir largando piolín mientras subía, (como hacen los buenos pescadores cuando le aflojan la línea a los peces para hacerles creer que se están escapando con la carnada). Temía que un tirón inesperado lo espantara cuando todavía no había llegado el momento de izarlo.

El fondo de la casa de los abuelos había quedado completamente destruido, convertido en una montaña al borde de un precipicio. Un poco preocupada salí a la calle y, mientras preparaba un lazo con el extremo del piolín que tenía conmigo, esperé a que pasara un camión.

Cuando por fin vi pasar uno que me pareció lo bastante grande y fuerte, un camión casi tan pesado como Bronti, con un hábil movimiento de mi brazo lancé el piolín y conseguí enlazar la cabina. Repentinamente frenado por el peso del animal, el conductor se sorprendió mucho y trató de aumentar la velocidad, exigiendo al máximo al motor. Hacía ya mucho tiempo que el camión había desaparecido de la vista cuando mi brontosaurio empezó a emerger por la boca del pozo.

Con ayuda de Bronti, que parecía encantado de conocer el cielo, el sol y el fondo de la casa de los abuelos, conseguí volver a meter en el pozo todas las piedras, la tierra y los escombros. La higuera no había sufrido daño alguno y pronto estuvo todo otra vez como siempre, excepto las baldosas rotas del patio, que tuve que pegar como pude con un tubito de pegalotodo, el mejor pegamento que existía cuando yo era chica.

Cuando mis abuelos se despertaron de la siesta, se llevaron la gran sorpresa de encontrarse con mi brontosaurio, que se estaba comiendo la achicoria del jardín. Y aunque es cierto que tuve mucho éxito paseando en dinosaurio a los chicos del barrio, toda la plata que gané la tuve que usar para comprar otro anillo para mi abuela y baldosas nuevas para el patio del fondo. Sin hablar de lo que costaba alimentar a Bronti, que necesitaba casi una tonelada de pasto por día.

Bronti vivió durante muchos años en el fondo de la casa de mis abuelos. Tenía la mala costumbre de comerse todos los higos y la abuela protestaba porque ya no los podía usar para hacer su dulce preferido. Por lo demás resultó ser un animal muy cariñoso y de buen carácter. Cuando se murió de tan viejito, doné su esqueleto al Museo de Ciencias Naturales. Y si no me creés, andá cualquier día al Museo y allí vas a ver, en la sala dedicada a los dinosaurios, los huesos gigantescos de mi querido amigo, el brontosaurio.

Claro que todavía me quedaba por resolver un problema: cómo conseguir la plata que necesitaba para organizar mi gran expedición a la selva del Amazonas.

El Barón de Munchausen era un señor muy mentiroso que les contaba a sus amigos unas aventuras increíbles. *La pequeña Lulú* era una nena. Cuando tenía que inventar cuentos para entretener a Memo, siempre empezaba hablando de una niñita pobre a la que se le ocurrían negocios para ganar dinero. Y Julio Verne fue un gran autor que escribió *Viaje al centro de la tierra*.

Mis hijas me preguntan a veces de dónde salen los cuentos. Y yo les explico que los cuentos salen de otros cuentos. Y también (al mismo tiempo) de cosas que a uno le pasan de verdad.

Cuando empecé a escribir estas historias, me acordé del Barón, de Lulú y de Julio Verne. Y los recuerdos de lo que había leído se me mezclaron con mis recuerdos verdaderos de cuando yo era chica. Como las clases de natación a las que me llevaba mi abuelito, las barras de hielo envueltas en arpillera o el dulce de higos que hacía mi abuelita con los frutos de la higuera del fondo. Y así fueron brotando estos cuentos, como agua del manantial.

Los dibujos de este libro están hechos en tinta china con una lapicera muy antigua que perteneció al capitán ruso del barco que, según me contaron, era un excelente dibujante.

Un buen día se le cayó al mar, alguien la rescató y pasando de mano en mano llegó a las mías.

Se me ocurrió que para ilustrar estos cuentos no había una lapicera mejor y la puse a trabajar.

No tardé demasiado en imaginar las situaciones para mis dibujos porque me divertí mucho con estas historias.

Me pregunté si quedarían mejor en lápiz o en tinta; al fin decidí usar la tinta y con ella la lapicera famosa porque me permitía darles más fuerza a los dibujos con planos negros.

Eso sí, tuve que mirar otra vez los libros del colegio para recordar cómo es exactamente un brontosaurio.

Chau.

Serie **Azul** (A): Pequeños lectores
Serie **Naranja** (N): A partir de 7 años
Serie **Magenta** (M): A partir de 9 años
Serie **Verde** (V): A partir de 11 años
Serie **Negra** (NE): Jóvenes lectores

Sentimientos

Naturaleza

Humor

Aventuras

Ciencia ficción

Cuentos de América

Cuentos del mundo

COLECCION PAN FLAUTA

1. Marisa que borra, *Canela* (N)
2. La batalla entre los elefantes y los cocodrilos, *Ana María Shua* (M)
3. Los imposibles, *Ema Wolf* (V)
4. Cuentos de Vendavalia, *Carlos Gardini* (M)
5. Expedición al Amazonas, *Ana María Shua* (N)
6. El mar preferido de los piratas, *Ricardo Mariño* (V)
7. Prohibido el elefante, *Gustavo Roldán* (M)
8. Más chiquito que una arveja, más grande que una ballena, *Graciela Montes* (A)
9. Oliverio Juntapreguntas, *Silvia Schujer* (V)
10. La gallina de los huevos duros, *Horacio Clemente* (M)
11. Cosquillas en el ombligo, *Graciela Cabal* (A)
12. El hombrecito del azulejo, *Manuel Mujica Lainez* (V)
13. El cuento de las mentiras, *Juan Moreno* (M)
14. El viaje de un cuis muy gris, *Perla Suez* (A)
15. El hombre que debía adivinarle la edad al diablo, *Javier Villafañe* (M)
16. Algunos sucesos de la vida y obra del mago Juan Chin Pérez, *David Wapner* (V)
17. Estrafalario, *Sandra Filippi* (M)
18. Boca de sapo, *Canela* (V)
19. La puerta para salir del mundo, *Ana María Shua* (M)
20. ¿Quien pidió un vaso de agua?, *Jorge Accame* (A)
21. El anillo encantado, *María Teresa Andruetto* (NE)
22. El jaguar, *Jorge Accame* (NE)
23. A filmar canguros míos, *Ema Wolf* (V)
24. Un tigre de papel, *Sergio Kern* (N)
25. La guerra de los panes, *Graciela Montes* (N)
26. Puro huesos, *Silvia Schujer* (V)

5. **EXPEDICION AL AMAZONAS**
Serie naranja
Aventuras

6. **EL MAR PREFERIDO DE LOS PIRATAS**
Serie verde
Aventuras

7. **PROHIBIDO EL ELEFANTE**
Serie magenta
Humor

8. **MAS CHIQUITO QUE UNA ARVEJA. MAS GRANDE QUE UNA BALLENA**
Serie Azul Aventuras

9. **OLIVERIO JUNTA PREGUNTAS**
Serie verde
Sentimientos

10. **LA GALLINA DE LOS HUEVOS DUROS**
Serie magenta
Humor

11. **COSQUILLAS EN EL OMBLIGO**
Serie Azul
Sentimientos

12. **EL HOMBRECITO DEL AZULEJO**
Serie verde
Cuentos de América

Esta edición de 3.000 ejemplares
se terminó de imprimir en
Industria Gráfica del Libro S.A.,
Warnes 2383, Buenos Aires,
en el mes de octubre de 1994.